Minden

Sachbuchverlag Karin Mader

Fotos:
Jost Schilgen

Text:
Martina Wengierek

© Sachbuchverlag Karin Mader
D-2801 Grasberg

Übersetzungen:
Englisch: Michael Meadows
Französisch: Mireille Patel

Grasberg 1991

Printed in Germany

ISBN 3-921957-54-0

In dieser Serie sind erschienen:

Baden-Baden	Kiel
Bad Oeynhausen	Koblenz
Bad Pyrmont	Krefeld
Braunschweig	Das Lipperland
Bremen	Lübeck
Celle	Lüneburg
Darmstadt	Mannheim
Darmstadt und der Jugendstil	Mainz
Duisburg	Marburg
Eisenach	Minden
Essen	Münster
Flensburg	Paderborn
Gießen	Recklinghausen
Göttingen	Der Rheingau
Hagen	Rostock
Hamburg	Rügen
Heidelberg	Schwerin
Herrenhäuser Gärten	Wiesbaden
Hildesheim	Wolfsburg
Kaiserslautern	Würzburg
Karlsruhe	Wuppertal

Titelbild:
Altes Rathaus

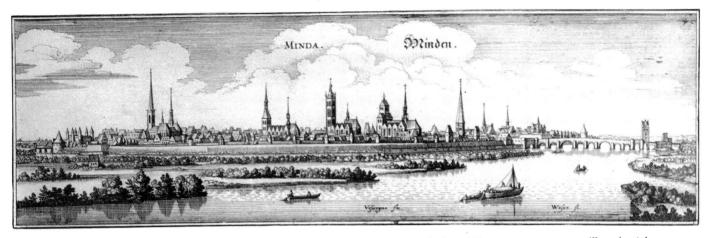

MINDA. Minden.

Ein Fischerdorf an der Weserfurt machte den Anfang. Karl der Große bewies siebten Sinn, als er um 800 gleich nebenan einen Bischofssitz gründete. Die günstige Verkehrslage und die Position als Mittelpunkt eines ausgedehnten Bistums beschleunigte den wirtschaftlichen Aufschwung. Aus Minden wurde ein wichtiger Umschlagplatz für Getreide, man schloß sich der Hanse und dem Rheinisch-Westfälischen Städtebund an. Der Bischof als Stadtherr hatte bald ausgedient, im 13. Jahrhundert übernahmen die Ratsherren das Zepter. Die spätere preußische Garnisons- und Beamtenstadt verwandelte sich nach dem Zweiten Weltkrieg in einen Verwaltungssitz und attraktiven Standort für Unternehmen. Dennoch ist Minden das Schicksal einer hektischen Industriestadt erspart geblieben: Man bleibt am Puls der Zeit, ohne den Charme vergangener Jahrhunderte zu verlieren. Das wissen wohl auch die rund 80 000 Einwohner zu schätzen.

A fishing village at the Weser ford was the beginning. Charlemagne showed his sixth sense when he founded a diocesan town right next to it around 800. The advantageous transport location and its position as the center of an expansive diocese accelerated economic growth. Minden became an important trade center for grain, it joined the Hanseatic League and the Rheinisch-Westfälischen Städtebund (Alliance of Cities). The bishop soon had had his day as head of the municipality, in the 13th century the town councillors took over the scepter. The later Prussian garrison and civil servant town transformed into an administrative seat and attractive location for business enterprises. Nevertheless, Minden has been spared the fate of becoming a hectic industrial city: it remains close to the pulse of the times, without losing the charm of past centuries. The roughly 80,000 residents are also appreciative of this.

Tout commença par un village de pêcheurs au gué de la Weser, puis Charlemagne fit preuve d'intuition en fondant, vers 800, le siège d'un évêché près de celui-ci. Les communications favorables, le fait d'être le centre d'un vaste évêché accélérèrent l'essor économique de Minden qui devint un important lieu de transit des grains. La ville joignit la Hanse et la ligue de Rhénanie-Westphalie. Bientôt le pouvoir temporel de l'évêque décrut et, dès le 13e siècle, c'est le conseil municipal qui gouverna la ville. Sous la Prusse, Minden devint une ville de garnison et de fonctionnaires. Après la Deuxième Guerre Mondiale, elle se transforma en un centre administratif et de nombreuses industries s'y fixèrent. Pourtant le destin d'une ville moderne survoltée lui a été épargné: Bien qu'elle vive avec son temps, elle a conservé le charme des siècles passés. C'est une chose que ses 80 000 habitants savent apprécier.

Schokoladenseite aus Fachwerk

Das Herz von Minden schlägt in der Altstadt. Am Markt wirft sich so manches historische Gemäuer in Positur, wie etwa Haus Schmieding mit seinem stattlichen Fachwerkgiebel von 1909 (oben) oder die ehemalige Löwenapotheke.

The heart of Minden beats in the Old Town. Many a historical wall and facade strike a pose at the marketplace, such as Haus Schmieding with its magnificent half-timbered gable dating from 1909 (above) or the former "Löwenapotheke".

Le cœur de Minden bat dans la vieille ville. Sur la place du marché les édifices historiques montent la garde, la Haus Schmiedling par exemple, avec son imposant pignon à colombages de 1909 (ci-dessus) ou la Löwenapotheke.

Hier lohnt sich ein Blick hinter die Backstein-kulisse, denn die erhalten gebliebene gotische Apothekeneinrichtung ist eine kleine Sensation. Sie soll demnächst im Museum zu bewundern sein.

It is worthwhile taking a look behind the brick scenes because the preserved Gothic apothecary furnishings are somewhat of a sensation. They will soon be on display in the museum.

Cela vaut la peine de jeter un coup d'œil à l'in-térieur. En effet, l'aménagement gothique de la pharmacie a été conservé et c'est une petite sensation qui attend le visiteur. Il sera bientôt exposé dans le musée.

Das Rathaus mit seinem gotischen Laubengang aus dem 13. Jahrhundert ist eines der ältesten in Deutschland. Der frühere Renaissance-Oberbau wurde 1945 zerstört und in den 50er Jahren neu gestaltet. Hier sind heute die Repräsenta-

The Town Hall with its Gothic arbor dating from the 13th century is one of the oldest in Germany. The former Renaissance top structure was destroyed in 1945 and redesigned in the 50's. The room for official functions of the

L'hôtel de ville avec son allée couverte du 13e siècle est l'un des plus vieux d'Allemagne. L'ancienne superstructure Renaissance a été détruite en 1945 et reconstruite selon un nouveau plan en 1950. C'est ici qu'ont lieu les réceptions

tionsräume der Stadt untergebracht. Für die Stadtbediensteten schuf man im Jahr 1977 den anschließenden Neubau (oben). Für die Fassade wurde eine Verkleidung aus Obernkirchener Sandstein und Kupfer gewählt, um eine Anpassung an die bereits vorhandene Bebauung zu erreichen.

city are located here today. In 1977 the adjoining new edifice was built for the municipal government employees (above). A facade faced with Obernkirchen sandstone and copper was selected to conform with the existing structure.

municipales. Pour les employés de la ville l'on construisit, en 1977, le bâtiment adjacent (ci-dessus). Un revêtement de grès d'Obernkirchen et de cuivre a été choisi pour la façade afin de réaliser une harmonie avec la construction existante.

Zwischen den steinernen Zeitzeugen von gestern läßt sich wunderbar bummeln. Die Fußgängerzone (hier Scharn und Bäckerstraße) lädt zum Streifzug durch die Geschäfte, aber auch

It is marvelous to stroll between the stone witnesses of the past. The pedestrian zone (here Scharn and Bäckerstraße) is an inviting spot for a look through the stores as well as to take a rest

Il fait bon se balader parmi les témoins de pierre du passé. La zone piétonne (ici, Scharn et Bäckerstraße) invite aux expéditions dans les magasins mais aussi au repos à la terrasse des jolis

zur Rast in einem der hübschen Straßencafés. Vor allem im Sommer braucht man Geduld und etwas Glück, um hier einen Platz mit Aussicht auf Gestyltes und Geschnitztes zu ergattern.

in one of the lovely street cafés. Particularly in summer you need patience and a little luck to find a place with a view of styled or carved objects.

cafés. En été surtout, il faut de la patience et de la chance pour se procurer une place avec vue sur sculptures et décorations.

An der Bäckerstraße Nr. 45 (oben) geht so schnell keiner vorbei. Das Haus aus der Zeit um 1590 mit dem vierstufigen Giebel zählt zu den eindrucksvollsten Exemplaren der Weserrenaissance. Ein paar Schritte weiter läßt Theodor Henke seinen »echten« Mindener Jungen aus Bronze nach altem Brauch »in die Weser spukken«.

No one walks by Bäckerstraße No. 45 (above) without stopping for a look. The house dating from the period around 1590 with the four-level gable is among the most impressive examples of Weser Renaissance. A few steps away Theodor Henke has his "genuine" Minden boy of bronze "spit into the Weser" according to the old custom.

Personne ne saurait passer devant le no 45 de la Bäckerstraße (ci-dessus) sans s'arrêter. Cette maison avec son pignon à quatre gradins, construite vers 1590, est l'un des exemples les plus impressionnants de la Renaissance de la Weser. Quelques pas plus loin, Theodor Henke fait cracher son «vrai» garçon de bronze dans la Weser, selon une vieille coutume de Minden.

Am kleinen Johanniskirchhof stehen die Johanniskirche (heute Bürgerzentrum) und der Adelshof derer von Amelungsen. In dem Gebäude aus dem 16. Jahrhundert residiert jetzt die Jugendmusikschule.

The Johannis Church (today community center) and "Adelshof von Amelungsen" are located at the small Johannis churchyard. Today the Youth Music School has its home in the building dating from the 16th century.

Sur le petit Johanniskirchhof se dressent la Johanniskirche (aujourd'hui centre communautaire) et le Adelshof des sieurs d'Amelungsen. Ce bâtiment du 16e siècle héberge aujourd'hui l'école de musique.

Dieses Wunderwerk hat bereits rund 400 Jahre auf dem prächtigen Buckel: Das Haus Hagemeyer am Scharn diente einst dem Bürgermeister Thomas von Kampen als Domizil. Es wurde 1592 von dem flämischen Bildhauer und Baumeister Johann Robyn aus Ypern geschaffen.

This architectural marvel has stood here for roughly 400 years: Haus Hagemeyer at Scharn once served as the domicile of Mayor Thomas von Kampen. It was created (1592) by the Flemish sculptor and architect, Johann Robyn from Ypern.

Ce magnifique édifice est vieux de 400 ans: La Haus Hagemeyer, dans la Scharn, était autrefois la résidence du maire Thomas von Kampen. Elle fut construite en 1592 par l'architecte et sculpteur flamand Johann Robyn d'Ypres.

Auch das Bundesbahn-Zentralamt hat an der Weserrenaissance Geschmack gefunden. Die Behörde hat sich im ehemaligen Regierungsgebäude von 1906 eingerichtet. Seine Front wurde zwar nach 1945 in vereinfachter Form wiederhergestellt, aber das Innenleben ist stilecht wie am ersten Tag.

The Central Office of the German Railway has also acquired a taste for Weser Renaissance. It set up office in the former government building dating from 1906. Its facade was rebuilt in simplified form after 1945, but the interior is in period style as on the first day.

L'administration de la Bundesbahn prend elle aussi plaisir au style de la Renaissance de la Weser. Elle s'est installée dans l'ancien bâtiment gouvernemental de 1906. Sa façade fut reconstruite sous une forme plus simple après 1945 mais l'intérieur est aussi authentique qu'au premier jour de son existence.

Das hätte sich der preußische Regierungsrat von Huss sicher nicht träumen lassen: In seinem schicken Adelssitz tummeln sich heute die Mindener Leseratten. Ihre Stadtbücherei liegt in der Pöttcherstraße.

The Prussian senior civil servant, von Huss, would never have thought it possible: Minden's bookworms have free access to his chic aristocratic residence today. Their municipal library is located in Pöttcherstraße.

Le conseiller administratif prussien von Huss n'aurait certainement pas pu imaginer ceci: Dans son élégante demeure se pressent aujourd'hui les rats de bibliothèque de Minden. Cet établissement municipal se trouve dans la Pöttcherstraße.

Wer schlemmen will, ist bei der Alten Münze an der richtigen Adresse. Wer nur schauen will auch, denn sie ist das älteste im Kern romanische Steinhaus der Stadt. Vom 14. bis 16. Jahrhundert pflegten hier die Mindener Münzmeister zu wohnen.

For those who enjoy good cooking, Alte Münze is the right address. Also for those who just want to look – it is the oldest stone house with a Romanic core in the city. Minden's master minters used to live here from the 14th to the 16th century.

La Alte Münze est une bonne adresse pour les gourmets. Le noyau de l'édifice, de style roman, est la plus vieille maison de pierre de la ville. Les maîtres de la monnaie de Minden ont habité ici du 14 au 16e siècle.

Hier stand der berühmte Baumeister Karl Friedrich Schinkel Pate: Das ehemalige Körnermagazin der Festung Minden gilt als bedeutendstes Beispiel des preußischen Klassizismus in Westfalen. Es wurde ebenso wie die Heeresbäkkerei (links) 1945 weitgehend zerstört, in den 70er Jahren aber wieder aufgebaut. Im Körnermagazin ist jetzt das Weserkolleg untergebracht.

The famous architect, Karl Friedrich Schinkel, was the force behind this site: the former granary of the Minden fortress is considered to be the most significant example of Prussian classicism in Westphalia. Just as in the case of the German Army bakery (left), it was extensively destroyed in 1945, but was rebuilt in 70's. The Weser College is now located in the granary.

Cet ancien entrepôt de grains de la forteresse de Minden est considéré comme l'exemple le plus important de classicisme en Westphalie. C'est une œuvre du célèbre architecte Karl Friedrich Schinkel. Cet édifice, de même que la boulangerie de l'armée (à gauche), fut en grande partie détruit en 1945 mais tous deux furent reconstruits dans les années 70.

Das Hansehaus am Papenmarkt entstand 1547 als Kaufmannshaus und ist heute das älteste Längsdeelenhaus in Norddeutschand. In dem gotischen Einraum-Wohnhaus hat sich das Kulturamt eingerichtet.

Hansehaus at Papenmarkt came into being as a merchant's house in 1547 and is today the oldest hall-type house ("Längsdeelenhaus") in northern Germany. The Department of Culture has now been set up in the Gothic single-room residential house.

La Hansehaus, sur le Papenmarkt, date de 1547. C'était la maison d'un marchand et la plus vieille d'Allemagne du Nord qui ait un «long vestibule». Dans cette maison d'habitation gothique à une pièce s'est installée l'Office Culturelle.

In der Schwedenschänke, deren Ursprünge auf das 11. Jahrhundert zurückgehen, zechten einst schwedische Soldaten. Nach der Besetzung Mindens 1634 floß hier der Wein in Strömen – eine Tradition, mit der nicht gebrochen wurde: Bis heute ist die Schänke als kulinarischer Treffpunkt beliebt.

In Schwedenschänke, whose origins go back to the 11th century, Swedish soldiers once drank to their heart's content. After the occupation of Minden in 1634 wine flowed like water here – a tradition which has continued unbroken: even today the tavern is a popular culinary meeting place.

Dans la Schwedenschänke dont l'origine remonte au 11e siècle, s'énivrèrent jadis les soldats suédois. Après l'occupation de Minden en 1634, le vin coula ici à flots. Cette tradition a survécu jusqu'à nos jours: La Schänke est un rendez-vous gastronomique très populaire.

Obwohl viele historische Bauten Mindens im Zweiten Weltkrieg zerstört worden sind, lassen manche Winkel noch den Charme vergangener Jahrhunderte erahnen. Zu den erhalten gebliebenen Schmuckstücken gehört dieses Fachwerkdomizil des Stadt- und Festungskommandanten von 1800, der Brüderhof.

Although many historical buildings in Minden were destroyed during the Second World War, many a nook and cranny conveys the charm of past centuries. This half-timbered domicile of the city and fortress commander in 1800, the so-called "Brüderhof", is one of the gems that has remained intact.

Bien que de nombreux édifices historiques de Minden aient été détruits pendant la Deuxième Guerre Mondiale, bien des recoins laissent deviner le charme des années passées. Cette maison à colombages de 1800, le Brüderhof, ancienne résidence du commandant de la ville et de la forteresse, compte parmi les bijoux architecturaux qui ont survécu.

Wer durch die alte Kirchstraße schlendert, würde sich kaum wundern, wenn plötzlich eine Kutsche um die Ecke käme. Besonders in den Abendstunden scheint hier die Zeit stillzustehen.

Anyone walking through old Kirchstraße would hardly be surprised if a horse and carriage suddenly came around the corner. Time seems to stand still here, especially during the evening hours.

Qui flâne dans la vieille Kirchstraße ne s'étonnerait guère de voir tout à coup déboucher une calèche. Surtout au crépuscule, le temps semble s'être arrêté.

Recht vorwitzig reckt sich das Haus im Windloch unmittelbar neben der Martinikirche empor. In diesem kleinsten Gebäude Mindens wohnte im Mittelalter der Stadtmusikus.

The cute little house in Windloch stretches upwards right next to Martinikirche. The town musician used to live in this, Minden's smallest building, in the Middle Ages.

La Haus im Windloch se dresse de façon fort impertinente contre la Martinikirche. Dans cet édifice, le plus petit de Minden, résidait au Moyen Age le musicien municipal.

Schlagen wir dem Wetter ein Schnippchen: In der Obermarktpassage kann man nach Herzenslust schlemmen, schmökern und kramen (oben). Gleich nebenan erfährt man das Neueste aus der Lokalpresse und bekommt dazu noch ein Ständchen verpaßt: In der Obermarktstraße erklingt jeden Tag jeweils drei Minuten vor der vollen Stunde das Mindener Glockenspiel (von 11 bis 18 Uhr).

Let's play a trick on the weather: in the Obermarkt Passage you can dine, browse and rummage about to your heart's content (above). Right next door you can find out the latest from the local press and get a serenade in the bargain: every day the Minden chimes ring out in Obermarktstraße three minutes before the hour (from 11 a.m. to 6.00 p.m.).

Faisons un pied-de-nez au mauvais temps: Dans le Obermarktpassage on peut, à son gré, se régaler, bouquiner ou farfouiller (ci-dessus). A côté, on lit les dernières nouvelles dans la presse locale en se faisant jouer une aubade: Chaque jour, à chaque heure moins trois minutes, le carillon de Minden sonne dans la Obermarktstraße (de 11 à 18 heures).

Für Romantiker sind die lauschigen Winkel am Weingarten (links) und die idyllischen Gassen in der Fischerstadt am Weserufer genau das richtige. Die Fischerstadt war bis zu ihrer Eingemeindung im 14. Jahrhundert ein selbständiges Stadtwesen mit eigenem Rathaus, Pastorat und einer Schule. Sie hat die Jahrhunderte ebenso überdauert wie ein Teil der Festungsmauer.

The secluded corners in Weingarten (left) and the idyllic lanes in Fischerstadt on the bank of the Weser are just the right thing for romantics. Fischerstadt used to be an independent town with its own Town Hall, pastorate and a school before it was incorporated in the 14th century. It has survived the centuries, as has a section of the fortified wall.

Les recoins solitaires dans le Weingarten (à gauche) et les ruelles idylliques de la Fischerstadt, sur le bord de la Weser, conviennent aux âmes romantiques. Avant son incorporation à Minden, au 14e siècle, la Fischerstadt était une ville autonome avec son propre hôtel de ville, son pastorat et son école. Elle a résisté aux années de même qu'une partie des fortifications.

Nirgendwo sonst in Minden liegen einem so viele exotische Bäume und verschwenderische Blütenträume zu Füßen wie im Botanischen Garten. Zwischen Rosen, Azaleen und Rhododendren stehen einzelne historische Grabmale, die zum Teil noch aus dem 18. Jahrhundert stammen: Erst zu Beginn der 20er Jahre unseres Jahrhunderts wurde der alte Friedhof zu einer Parkanlage umgestaltet.

Nowhere else in Minden do so many exotic trees and lush, extravagant blossoms lie at one's feet than in the Botanical Gardens. Among roses, azaleas and rhododendrons there are individual historic tombs, some of which date from the 18th century: it was not until the beginning of the 1920's that the old cemetery was converted into park grounds.

Le visiteur ne trouvera nulle part ailleurs à Minden autant d'arbres exotiques et une telle profusion d'espaces fleuris qu'au Jardin Botanique. Parmi les roses, les azalées et les rhododendrons se trouvent des tombes anciennes, certaines d'entre elles datant du 18e siècle: Ce n'est qu'au début des années vingt de notre siècle que le vieux cimetière fut transformé en parc.

Drehscheibe für Verkehr und Handel

Als Kreisstadt ist Minden das Einkaufs- und Versorgungszentrum für ein Einzugsgebiet von mehr als 450 000 Menschen. Der Verwaltungssitz des Kreises Minden-Lübbecke (hier: Gerichtszentrum) ist auch ein wichtiger Gewerbestandort für Papier- und Keramikindustrie sowie für Maschinenbau und metallverarbeitende Betriebe.

As the chief town of the district, Minden is the shopping and supply center for more than 450,000 people. The administrative seat of the Minden-Lübbecke District (here: court center) is also an important business site for the paper and ceramic industries as well as for machine production and metal-processing companies.

En tant que «Kreisstadt» Minden est un centre d'achats et de ravitaillement pour une région de plus de 450 000 habitants. Ce centre administratif du district de Minden-Lübbecke (ici le tribunal) est aussi le siège d'importantes industries: papier, céramique, machines et travail du métal.

Zu den großen technischen Sehenswürdigkeiten Deutschlands gehört das Wasserstraßenkreuz nördlich der City. Hier wird seit 1914 der Mittellandkanal mit Hilfe einer 370 Meter langen, trogartigen Brücke über die Weser geführt (oben). Sie ist das Kernstück des fast 3000 Meter langen Hochdammes über das Wesertal. Rechts: eine Schiffspartie im Hafen.

The waterway junction north of the city center is one of Germany's greatest technical sights. Since 1914 the Mittelland Canal has been conveyed over the Weser with the help of a 370-meter-long, trough-like bridge (above). It is the core of the nearly 3000-meter-long embankment-like structure across the Weser Valley. Right: a ship in the harbor.

Le croisement des deux voies d'eau, au nord de la ville, est l'une des grandes attractions techniques d'Allemagne. Le Mittellandkanal, à l'aide d'un pont de 370 mètres, en forme d'auge, est amené au-dessus de la Weser (ci-dessus). Cet ouvrage date de 1914. Il fait partie d'une digue de près de 3000 mètres qui domine la vallée de la Weser. A droite, un bateau dans le port.

Von Musen und Museen

Auch im kulturellen Bereich ist für Abwechslung gesorgt. Die Stadthalle ist ein beliebtes Forum für Ballettaufführungen, Musicals, Popkonzerte oder Sinfonieabende.

Variety is also provided for in the area of culture. The civic center is a popular site for ballet performances, musicals, pop concerts or symphony evenings.

Le domaine culturel est, lui aussi, riche et varié. Dans le Stadthalle sont présentés des ballets, des «musicals», des concerts de musique pop ou classique.

In der Tonhallenstraße liegen die Bretter, die angeblich die Welt bedeuten: Ein Abend im Stadttheater gehört zu den unvergeßlichen Erlebnissen in Minden. Hier kommen auch Freunde von Sinfonie- und Kammerkonzerten auf ihre Kosten.

The proverbial springboard to the world can be found in Tonhallenstraße: an evening at the Municipal Theater is an unforgettable experience in Minden. Lovers of symphony and chamber concerts also get their money's worth here.

Dans la Tonhallenstraße se trouvent les planches qui, dit-on, valent le monde: Une soirée au théâtre municipal de Minden constitue une expérience inoubliable. Les amis des concerts symphoniques ou de musique de chambre sont comblés eux aussi.

Das Museum in der Ritterstraße umfaßt sechs historische Giebelhäuser aus dem 16./17. Jahrhundert. Seine Sammlungen spiegeln die mehr als 1000jährige Stadtgeschichte und eine leben-

The museum in Ritterstraße encompasses six historic gabled houses dating from the 16th/17th century. Its collections reflect the more than 1000-year-old history of the city and a

Le musée dans la Ritterstraße comprend six maisons historiques des 16 et 17e siècles. Ses collections reflètent l'histoire millénaire de la ville et une tradition culturelle bien vivante. Des

dige Tradition des Kulturlebens wieder. Die Stadtgeschichte dokumentieren Pläne, Ansichten, Modelle und originalgetreue bürgerliche und bäuerliche Wohnhaus-Einrichtungen.

lively tradition of cultural life. Plans, views, models and true-to-the-original furnishings of bourgeois and rural homes document the city's history.

plans, des vues, des maquettes et des ameublements de demeures bourgeoises ou paysannes, reproduisant fidèlement les originaux, documentent l'histoire de la ville.

Eine Rarität ist das erste deutsche Kaffeemuseum, das sich ebenfalls in der Ritterstraße eingerichtet hat. Seit 1986 verrät es die Geheimnisse von Ernte-, Röst-, und Zubereitungsverfahren und führt anschaulich durch die Kaffee-Geschichte.

The first German Coffee Museum, which has also been set up in Ritterstraße, is a rarity. Since 1986 it has betrayed the secrets of harvesting, roasting and preparation methods and vividly depicts the history of coffee.

Le premier musée allemand du Café, situé lui aussi dans la Ritterstraße, est également une curiosité. Créé en 1986, il livre les secrets de la récolte, de la torréfaction et de la préparation du café et illustre son histoire.

Eine gesonderte Ausstellung ist der Tracht des Mindener Landes gewidmet. In den Kellergewölben finden sich aber auch Zeugnisse der früheren Weserschiffahrt, besondere Aufmerksamkeit gilt außerdem der Militär- und Garnisonsgeschichte.

A separate exhibition is devoted to the costumes and garments of the Minden region. In the cellar vaults there are also exhibits related to early shipping on the Weser; special attention is additionally given to military and garrison history.

Une exposition séparée est dédiée aux costumes populaires du pays de Minden. Sous les voûtes de la cave on trouve aussi une documentation sur la navigation de la Weser autrefois, l'histoire militaire de Minden et son passé de ville de garnison.

Zeugnisse der Bischofsmacht

Wahrzeichen der alten Bischofsstadt Minden ist der tausendjährige Dom. Der Grundstein für die spätkarolingische Basilika wurde 915 gelegt. Nach starker Zerstörung im März 1945 entstand er in den 50er Jahren wieder neu. Sein Domschatz ist der bedeutendste Westfalens. Als Herzstück gilt das Mindener Kreuz aus dem Jahre 1070 (kleines Foto), eines der großartigsten Meisterwerke westfälischer Romanik.

The thousand-year-old cathedral is the landmark for the old diocesan town of Minden. The foundation stone for the late Carolingian basilica was laid in 915. After severe destruction in March 1945 it was rebuilt in the 50's. Its cathedral treasury is the most significant in Westphalia. The Minden cross from 1070 (small photo) is considered to be one of the greatest works of art of the Westphalian Romanesque period.

La cathédrale millénaire est le symbole de la vieille ville épiscopale de Minden. La première pierre de cette basilique carolingienne fut posée en 915. Après avoir été gravement endommagée en mars 1945, elle fut reconstruite dans les années cinquante. Le trésor de la cathédrale est le plus important de Westphalie. La Croix de Minden de 1070 (petite photo) en est l'objet le

Unter den erlesenen Stücken des mittelalterlichen Kunsthandwerks verleiht die Thronende Muttergottes dem Domschatz besonderen Glanz. Das Reliquiar ist aus Silberblech getrieben und vergoldet. Es stammt aus der Mitte des 13. Jahrhunderts.

Among the select pieces of medieval craftsmanship the Enthroned Madonna lends a special splendor to the cathedral treasury. The reliquary is made of beaten silver and is gold-plated. It dates from the mid-13th century.

plus précieux. C'est un chef d'œuvre de l'art roman de Westphalie. La Vierge Assise est l'une des œuvres maîtresse du trésor de la cathédrale. Le reliquaire est en argent repoussé et doré. Il date du milieu du 13e siècle.

Dieses Relief schmückt die Simeonskirche, die 1214 geweiht wurde. Im 18. Jahrhundert nutzte man sie als Garnisonshospital; seit 1811 dient St. Simeon wieder als Gotteshaus.

This relief adorns St. Simeon's Church, which was consecrated in 1214. In the 18th century it was used as a garrison hospital; since 1811 St. Simeons's has again served as a house of worship.

Ce relief décore la Simeonkirche consacrée en 1214. Au 18e siècle elle fut utilisée comme hôpital de la garnison. Depuis 1811 elle sert à nouveau d'église dédiée à Saint Siméon.

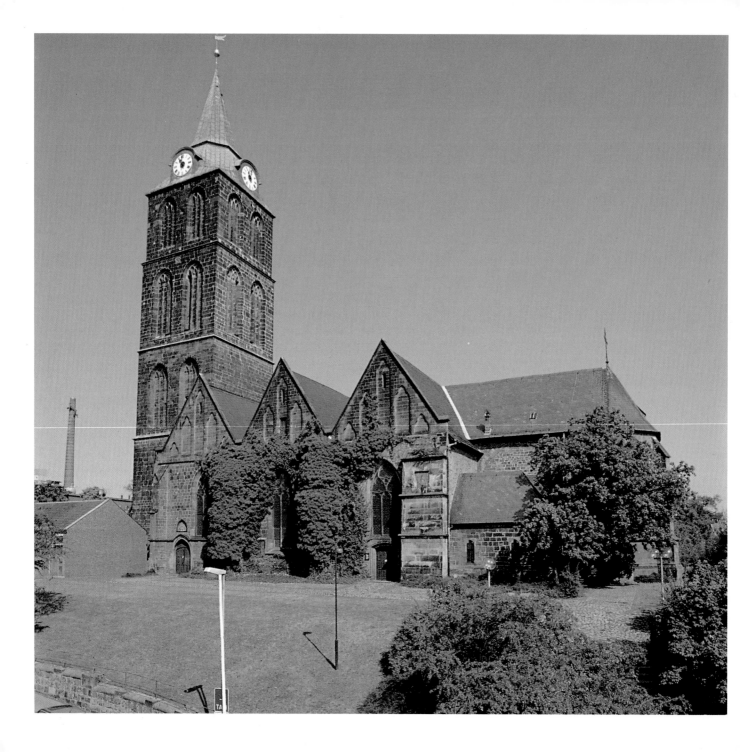

Der 64 Meter hohe Westturm der Marienkirche aus dem 12. Jahrhundert stellt den markantesten Punkt Mindens dar (links). In St. Martini, die vor mehr als 900 Jahren erbaut wurde, ist die Kanzel von besonderer Bedeutung: 1530 wurde hier in plattdeutscher Sprache die erste westfälische evangelische Kirchenordnung verkündet.

The 64-meter-high west tower of the Church of the Virgin Mary from the 12th century represents Minden's most striking point (left). In St. Martini, which was built more than 900 years ago, the pulpit is of special significance: in 1530 the first Westphalian Protestant church order was announced from it in Low German.

Le clocher de la Marienkirche, haut de 64 mètres et datant du 12e siècle est la construction la plus frappante de Minden (à gauche). Dans l'église Saint-Martin, vieille de plus de 900 ans, la chair a une signification toute spéciale. En 1530 y fut proclamé, en bas-allemand, le premier décret ecclésiastique protestant.

Paradies für Abenteurer

Möchten Sie wissen, wie ein zweijähriges Kind unsere Wohnwelt erlebt? Dann machen Sie einen Abstecher in Pott's Freizeitpark. In einer komplett eingerichteten 500 m²-Wohnung reichen die Tischkanten nur bis zur Nasenspitze. Aber der Park bietet noch andere Sensationen: etwa das Aerodrom, eine große Modelleisenbahn und Fahrten auf dem Hochseilfahrrad, Trips im Springboot oder Oldtimer.

Would you like to know how a two-year-old experiences our grown-up world at home? Then take a side trip to Pott's Recreational and Amusement Park. In a completely furnished 500-square-meter apartment the table-tops only reach to the tip of your nose. However, the park also offers other sensations: like the aerodrome, a large model railroad and trips on the high-wire bicycle, in a boat or in an old-timer.

Aimeriez-vous savoir comment un enfant de deux ans voit l'intérieur de nos maisons? Alors faites un détour par le parc d'amusement de Pott's. Dans un appartement de 500 m², entièrement meublé, le rebord des tables n'arrive qu'au bout du nez. Mais le parc offre d'autres attractions: Un train électrique dee grande taille, un aérodrome, des tours de bicyclette de funambule, de bateau ou de voitures de la Belle Epoque.

Sehleute zieht es zur Schachtschleuse, mit deren Hilfe der Höhenunterschied von 13 Metern zwischen Weser und Mittellandkanal überwunden wird. Es ist ein imposantes Schauspiel, wenn ein Schiff in die 84 Meter lange Schleusenkammer eingefahren ist und nur sieben Minuten später seine Fahrt unten auf der Weser oder oben auf dem Kanal fortsetzt.

Spectators are always drawn to the chamber lock, used to overcome the difference in water level between the Weser and Mittelland Canal, i.e. 13 meters. It is an imposing spectacle when a ship has entered the 84-meter-long lock chamber and only seven minutes later resumes its voyage down on the Weser or up on the canal.

La Schachtschleuse qui permet de triompher d'une différence de niveau de 13 mètres entre la Weser et le Mittellandkanal attire les curieux. Quel spectacle grandiose lorsqu'un bateau qui s'est introduit dans la chambre de l'écluse, longue de 84 mètres, en ressort, sept minutes plus tard, pour continuer sa route, en bas sur la Weser ou en haut sur le canal.

Schloß Haddenhausen (oben) ist ebenso einen Ausflug wert wie die Westfälische Mühlenstraße. Hier sind noch über 40 Wind-, Wasserund Roßmühlen erhalten (rechts: Meßlinger Mühle in Petershagen). Während der Mahlund Backtage erwacht so manches Museumsstück wieder zum Leben.

Schloß Haddenhausen (above) is also worth a visit, as is the Westphalian Mühlenstraße. Over 40 windmills and watermills are still intact here (right: Messlinger Mill in Petershagen). During the grinding and baking days many a museum item comes to life again.

Le château d'Haddenhausen (ci-dessus) mérite une excursion de même que la route des moulins de Westphalie. On y trouve encore plus de quarante moulins actionnés par le vent, l'eau ou les chevaux (à droite le moulin de Meßlinger à Petershagen). Les jours où l'on moud le grain et où l'on fait le pain bien des pièces de musée reprennent vie.

Kaiser Wilhelm II. genießt die schönste Aussicht: Seit 1896 liegt ihm von der Höhe des Wittekindsberges das Wesertal zu Füßen (links).
Bad Oeynhausen zieht nicht nur Gesundheitsapostel an: Neben der größten kohlensäurehaltigen Thermalsolequelle der Welt hat die Stadt das Deutsche Märchen- und Wesersagenmuseum sowie das Norddeutsche Technikmuseum zu bieten.

Kaiser Wilhelm II enjoys the beautiful view: since 1896 he has had the Weser Valley at his feet from the heights of Wittekindsberg (left). Bad Oeynhausen not only attracts health enthusiasts: in addition to the largest thermal springs with water containing salt and carbon dioxide in the world, the city has the German Fairy Tale and Weser Saga Museum as well as the North German Technology Museum to offer.

L'empereur Guillaume II jouit d'une vue magnifique: Du sommet du Wittekindsberg il contemple, depuis 1896, la vallée de la Weser (à gauche).
Bad Oeynhausen n'attire pas seulement les adeptes de la bonne santé. Sa source thermale saline et carbonnique est la plus grande au monde mais la ville possède aussi le Musée Allemand des Contes et Sagas de même que le Musée Nord-Allemand de la Technique.

Chronik

798
Erstmals als Minda erwähnt; Karl der Große gründet Bistum
952
Dom St. Petrus und Gorgonius geweiht
977
Markt-, Münz- und Zollrecht
11. Jahrhundert
Minden wird Stadt
1244
Ratsherren erstmals erwähnt
1277
Erste steinerne Brücke über die Weser errichtet
13. Jahrhundert
Fischerstadt wird eingemeindet
15. Jahrhundert
Mitglied der Hanse
1529
Reformation in Minden
1634
Besetzung durch schwedische Truppen
1648
Nach Westfälischem Frieden wird Minden brandenburgisch
1748
Der Astronom Friedrich Wilhelm Bessel wird in Minden geboren
1759
Schlacht bei Minden
1847
Köln-Mindener Eisenbahnverbindung
1873
Schleifung der Festungsanlagen, an ihrer Stelle Glacisanlagen
1876
Die Schriftstellerin Gertrud von le Fort wird in Minden geboren
1911–1914
Bau des Wasserstraßenkreuzes
1945
Minden bis zu 13 Prozent im Krieg zerstört
1948
Regierung nach Detmold verlegt
1973
Stadterweiterung nach Gebietsreform
1977
1000 Jahre Markt-, Münz- und Zollrecht
1983
Minden wird Gründungsmitglied des Westfälischen Hansebundes

Chronicle

798
Minda is mentioned for the first time; Charlemagne founds diocese
952
Cathedral of St. Peter and Gorgonius consecrated
977
Market and minting rights as well as right to levy tolls and duties
11th century
Minden becomes city
1244
Town councillors mentioned for the first time
1277
First stone bridge constructed over the Weser
13th century
Fischerstadt is incorporated
15th century
Member of Hanseatic League
1529
Reformation in Minden
1634
Occupation by Swedish troops
1648
After Westphalian Peace Treaty Minden becomes part of Brandenburg
1748
Friedrich Wilhelm Bessel, the astronomer, is born in Minden
1759
Battle near Minden
1847
Railway connection Cologne-Minden
1873
Razing of fortifications, in their place glacis facilities
1876
The writer, Gertrud von le Fort, is born in Minden
1911–1914
Construction of waterway junction
1945
Up to 13 percent of Minden destroyed in war
1948
Government transferred to Detmold
1973
Expansion of city after local government reform
1977
1000 years of market and minting rights and right to levy tolls and duties
1983
Minden becomes founding member of Westphalian Hanseatic League

Histoire

798
Mentionnée pour la première fois sous le nom de Minda; Charlemagne fonde l'évêché
952
Consécration de la cathédrale Saint-Petrus et Gorgonius
977
Droit de marché, de douane et de battre monnaie
11e siècle
Minden devient ville
1244
Le conseil municipal est mentionné pour la première fois
1277
Premier pont de pierre sur la Weser
13e siècle
Fischerstadt est réunie à la ville
15e siècle
Membre de la Hanse
1529
La Réforme à Minden
1634
Occupation par les troupes suédoises
1648
Après la Paix de Westphalie Minden passe au Brandebourg
1748
Naissance de l'astronome Wilhelm Bessel à Minden
1759
Bataille de Minden
1847
Ligne de chemin de fer Cologne-Minden
1873
Les fortifications sont rasées et remplacées par les «Glacisanlagen»
1876
Naissance de la femme de lettres Gertrud von le Fort à Minden
1911–1914
Construction du croisement des voies d'eau
1945
La ville est détruite à 13 pour cent
1948
Le gouvernement est transféré à Detmold
1973
Agrandissement de la ville à la suite de la réforme administrative
1977
Droit de marché, de douane et de battre monnaie depuis 1000 ans
1983
Minden devient membre fondateur de la Ligue Hanséatique de Westphalie